Cón

CO

UN

Cómo

CONSTRUIR

UN ROBOT

CONSTRUIR UN ROBOT

CLIVE GIFFORD

Ilustraciones de
TIM BENTON

COLECCIÓN DIRIGIDA POR CARLO FRABETTI

Título original: *How to build a robot*

Traducción de Joan Carles Guix

Distribución exclusiva:
Ediciones Paidós Ibérica, S.A.
Mariano Cubí 92 – 08021 Barcelona – España
Editorial Paidós, S.A.I.C.F.
Defensa 599 – 1065 Buenos Aires – Argentina
Editorial Paidós Mexicana, S.A.
Rubén Darío 118, col. Moderna – 03510 México D.F. – México

Text copyright © Clive Gifford 2000
This translation of «How to build a robot» originally published in English in 2000 published by arrangement with Oxford University Press

© 2006 exclusivo de todas las ediciones en lengua española:
Ediciones Oniro, S.A.
Muntaner 261, 3.º 2.ª – 08021 Barcelona – España
(oniro@edicionesoniro.com - www.edicionesoniro.com)

ISBN: 84-9754-228-2
Depósito legal: B-27.877-2006

Impreso en Hurope, S.L.
Lima, 3 bis – 08030 Barcelona

Impreso en España – *Printed in Spain*

Índice

CÓMO CONSTRUIR UN ROBOT

En 1996 un pequeño robot de seis ruedas «decidió» negociar una roca por la derecha en lugar de hacerlo por la izquierda como estaba previsto. Y ¿qué tiene de particular? podrías pensar. Lo cierto es que el robot estaba tomando sus propias decisiones a más de 55 millones de kilómetros de distancia... ¡en Marte! Aquel asombroso ingenio se llamaba Sojourner.

El Sojouner no es más que uno de los innumerables y asombrosos robots que se han construido. Los primeros robots se diseñaron hace alrededor de cuarenta años, pero ya son capaces de sumergirse en el océano, volar e incluso jugar al fútbol. Aun así, no todos son tan divertidos.

Muchos de ellos llevan trabajando muchísimo tiempo en fábricas, contribuyendo a salvar vidas, reparando cuerpos humanos, excavando en profundas minas, manipulando peligrosas sustancias radiactivas y desactivando bombas.

Todo esto sólo es una parte. Actualmente, la mayoría de los robots desempeñan sus funciones en plantas industriales y laboratorios, pero a medida que se vayan perfeccionando los ordenadores, es decir, las máquinas que los controlan y les confieren la capacidad de tomar decisiones, no tardaremos en verlos realizando tareas en las calles de las grandes ciudades.

En este libro aprenderás muchas cosas acerca de:

- automatismos;

- desarrollo de los robots;

- componentes de los robots y su ensamblado;

- tipos de robots y sus funciones;

- inteligencia artificial; y

- los robots en el futuro.

Asimismo, realizarás experimentos que te ayudarán a planificar la construcción de tu propio robot superinteligente.

CAPÍTULO 1

¿QUÉ ES UN ROBOT?

Difícil pregunta, pues los hay de muy diferentes tipos. En cualquier caso, podríamos definirlos de la forma siguiente:

> «Un robot es una máquina automatizada que realiza acciones similares a las humanas y que se puede programar para que responda a órdenes pregrabadas, y en algunos casos, a circunstancias externas.»

¿Has comprendido algo? ¿No? Veamos qué significa todo esto.

«Automatizado» quiere decir que una vez programado, un robot puede desarrollar una tarea sin ayuda. Luego está el aspecto inteligente de la definición: programado para responder a órdenes pregrabadas. Al igual que un ordenador, los robots se pueden programar para realizar distintas tareas. Esto es lo que los diferencia de la mayoría de las demás máquinas. En la práctica, los robots no son capaces de desempeñar trabajos diferentes, es decir, que no verás uno manipulando delicados tubos de ensayo y, diez minutos más tarde, picando mineral, si bien, en teoría, podría ocurrir.

Y ahora la última parte de la definición: responder a circunstancias externas. A diferencia de la mayoría de los ingenios automatizados, los robots pueden percibir lo que está ocurriendo a su alrededor y dejar lo que están haciendo para hacer otra cosa dependiendo de la tarea para la que estén programados. Pueden incorporar cámaras y sensores para «sentir» la presión o el calor. Estos sentidos les proporcionan información que los ayudará a realizar su trabajo.

¿Por qué construir robots? ....

Ahora ya sabemos lo que son los robots: versátiles máquinas a las que se puede decir lo que deben hacer con antelación y luego dejarlas para que cumplan con su cometido. Pero ¿por qué se construyen robots? Bueno... y ¿por qué no? El ser humano siempre se ha sentido atraído por los artefactos y las máquinas extrañas. La raza humana es extremadamente curiosa acerca de lo que se puede hacer a continuación, sea útil o no.

Así pues, algunos robots se construyen por pura curiosidad, para ver lo que son capaces de hacer, pero la mayoría de ellos se construyen porque son realmente útiles y hacen cosas que otras máquinas no pueden hacer.

Ventaja…, ¡robots! ....

La construcción de robots industriales no supone costes elevados, pero son capaces de superar el rendimiento de los humanos en mil y una formas. No se cansan ni se aburren de hacer siempre la misma tarea; no necesitan vacaciones y no interrumpen su trabajo a la hora del almuerzo, para tomar el té o ir al baño. No les importa realizar trabajos pesados o desagradables tales como pintar automóviles o manipular metales candentes. Lo único que necesitan es un breve período de mantenimiento y una puesta a punto anual.

El mago de los robots
¿TE CREES MEJOR QUE UN ROBOT?

¿QUÉ NECESITAS?

- tornillo, tuerca o perno

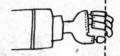

PROCEDIMIENTO

Coloca un tornillo, tuerca o perno en un lado de una mesa y trasládalo hasta el lado opuesto. Hazlo una y otra vez. No pares para descansar ni para ir al baño... ¡sigue!, ¡sigue!, ¡sigue!

¿QUÉ OCURRE?

Transcurridos cinco minutos estarás aburridísimo, y a los quince, si es que no lo has dejado ya, estarás desesperado, ¡al borde del suicidio! Pues bien, un robot es capaz de hacerlo 24 horas al día, 7 días a la semana y 365 días al año sin siquiera considerar la posibilidad de ir a la huelga.

Los robots también pueden ser superfuertes. Con un solo brazo son capaces de levantar con facilidad diez veces el peso de tu cuerpo.

Pero no todo es fuerza. Los robots también realizan tareas delicadas a la más mínima escala. Robodoc es un ingenio que interviene en las operaciones de implantación de prótesis de cadera. Practica un orificio para que la cadera artificial se ajuste en el fémur, y lo hace con más precisión que cualquier cirujano humano. Como resultado, los pacientes sufren menos dolor y se recuperan antes.

El mago de los robots
¿TIENES UN PULSO FIRME?

¿Crees que todo este maremágnum de habilidades que hacen a un robot más preciso que tú es una tontería? Prueba con esto.

¿QUÉ NECESITAS?
- timbre eléctrico pequeño
- cinta adhesiva
- alambre grueso pero flexible
- pila
- plastilina

PROCEDIMIENTO
Dobla un trozo de alambre en forma irregular y conecta un extremo al timbre, conecta el otro contacto del timbre a una pila y fija el alambre con plastilina.

Ahora, conecta otro trozo de alambre al otro terminal libre de la pila y haz un bucle de 1 cm de diámetro en el extremo igualmente libre.

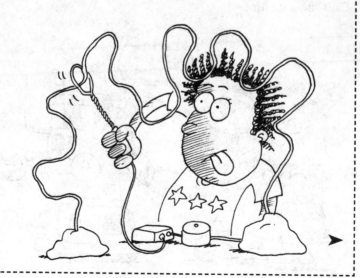

Enrolla un poco de cinta adhesiva debajo del bucle; lo sujetarás por aquí. Pásalo por un extremo del alambre irregular e intenta guiar el bucle siguiendo su forma irregular de un extremo a otro sin que lo toque. Si lo toca, sonará el timbre.

¿QUÉ OCURRE?
Complicado, ¿eh? Es muy difícil conseguir que el bucle se desplace de un extremo a otro del alambre sin que suene el timbre. El brazo de un robot debidamente programado jamás fallaría.

¡Qué barbaridad! ¡Lo que puede hacer un robot! ....

Así pues, los robots son fuertes, fiables, incansables trabajadores y tienen el pulso muy firme. Pero eso no es todo. También pueden trabajar en lugares imposibles para nosotros. No les preocupa el calor sofocante, el frío gélido o la ausencia de aire.

Debe de hacer frío. Incluso el robot lleva bufanda...

Una de las tareas más importantes que realizaron los robots fue la limpieza después del desastre en un reactor nuclear en Chernobyl, en la antigua Unión Soviética, accediendo a áreas donde los niveles de radiactividad serían letales para los humanos.

Aun a pesar de todo lo dicho, y antes de que te deprimas ante tanta perfección robótica, debes saber que también tienen una importante limitación: su cerebro. Incluso después de siglos de investigación, los robots siguen siendo inútiles cuando se trata de tomar decisiones.

En el capítulo 4 examinaremos el interior del cerebro de un robot. Pero primero echemos un vistazo a la larga cadena de inventos y descubrimientos que han conducido finalmente a los robots de hoy en día.

CAPÍTULO 2

EL LARGO CAMINO HACIA LOS ROBOTS

La idea de los robots se remonta a los tiempos de la antigua Grecia, hace más de dos mil años, donde mitos y leyendas hablaban de máquinas parecidas al hombre que atemorizaban a la población. Talan, por ejemplo. Era una figura gigantesca de bronce que aterrorizaba ciudades y pueblos al reflejar su cuerpo la luz del sol y quemar a sus desdichados moradores.

Aunque los griegos de la Antigüedad inventaron muchas historias de robots, lo cierto es que no llegaron demasiado lejos en su construcción. En realidad, no hubo progreso alguno durante siglos. Pero entonces, en el siglo V o VI a. C., en la India... ¡no ocurrió nada!

Un cero descomunal

India, siglo V o VI a. C.

Ahí está el matemático Vyas. Acaba de inventar un nuevo número: el cero. Tal vez te parezca poco importante, pero imagina intentando establecer la diferencia entre 10 y 1.000 sin el cero. Y sin el cero, el sistema de números binarios tampoco funcionaría. Los números binarios sólo usan ceros y unos, y este sistema lo usan en todos los ordenadores para efectuar sus cálculos. Sin el cero, los ordenadores que utilizamos para controlar los robots serían inútiles.

¿Qué significa este símbolo?

Oh..., ¡nada!

Cuestión de autómatas ....

Después de la invención del cero, el desarrollo de los robots no experimentó demasiados progresos durante algún tiempo. En el siglo XVI el gran artista Leonardo Da Vinci esbozó algunos diseños de un robot «humano» en sus cuadernos de notas, aunque nadie sabe a ciencia cierta si lo construyó. Más tarde, en el siglo XVIII, algunos relojeros experimentados empezaron a construir modelos a escala real de personas y animales. Eran los «autómatas», realmente curiosos e interesantes.

El maestro constructor de modelos
Francia, 1737

Se trata de Jacques De Vaucanson, el famoso constructor de autómatas de su tiempo.

➤

La primera figura que realizó fue un flautista mecánico.
Al darle cuerda, soplaba realmente en el instrumento
y pulsaba las teclas. Podía interpretar once melodías.
La segunda fue otro músico. En este caso, tocaba la flauta
con una mano y golpeaba un tambor con la otra. Interpretaba
veinte melodías diferentes.
Ahora, De Vaucanson está
trabajando en su tercer y
más famoso de sus
autómatas: ¡un pato
mecánico! ¿Un pato?
Sí, ¡pero vaya pato! Tan
asombroso que parece
real. Mueve las alas, hace
«cuac» y come. ¡Incluso hace
«caca»!

¡Prrrt!

Se construyeron otros autómatas que podían escribir una
breve historia, o dibujar. Pero ninguno de ellos era un
robot. ¿Por qué no? Porque los autómatas son sólo
muñecos mecánicos: ejecutan una serie de acciones fijas,
que repiten una y otra vez. No pueden variarlas, ni
reaccionar al mundo que los rodea.

Máquinas revolucionarias......................

Las habilidades necesarias para construir complicados
autómatas se usaron en los siglos XVIII y XIX para fabricar
otras máquinas. Fue la época de la revolución industrial.
Las máquinas se hicieron cargo de trabajos como hilar y
tejer, que hasta entonces realizaban artesanos cualificados.

21

La máquina de vapor, que acababa de ser inventada, suministró una fuente de potencia a las nuevas máquinas.

Una de las más famosas fue la construida por James Hargreaves.

James observó que el huso de la rueca de Jenny seguía funcionando después de haberse caído, descubriendo que una sola rueca podía hacer girar un juego completo de husos verticales.

Mmmm..., tengo una idea...

Fue así como se le ocurrió construir una máquina que pudiera hacer rodar 80 hilos al mismo tiempo. La llamó «rueca Jenny», en homenaje a su torpe hijita.

La rueca Jenny no era automática; necesitaba que alguien la accionara. Pero pronto se inventarían controladores automáticos que se encargarían, al principio, de una parte de la tarea. Uno de ellos fue el «regulador de bola volante» del ingeniero escocés James Watt.

¿Watt QUÉEE?

¿Regulador de bola volante? Se utilizaba en las máquinas de vapor para evitar que se aceleraran demasiado.

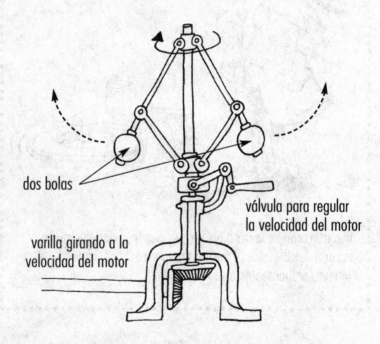

dos bolas

válvula para regular la velocidad del motor

varilla girando a la velocidad del motor

Las bolas del regulador de Watt volaban a mayor altura cuanto mayor era la velocidad a la que giraba el eje de la máquina. Estaban conectadas a una válvula que controlaba la cantidad de vapor insuflado, y cuanto más se elevaban en su trayectoria circular, menor era el suministro de vapor.

El regulador era realmente curioso, pues fue uno de los primeros dispositivos con *feedback*, es decir, cuando la información acerca de la máquina «regresa» a un mecanismo controlador, que realiza los ajustes necesarios en su funcionamiento. Los robots y otros ingenios automatizados se basan en este principio para hacer su trabajo.

Tu cuerpo también usa *feedback*. Se produce de forma natural, sin que te des cuenta de ello. Cuando enciendes el televisor, mientras buscas el botón «on», tus ojos envían señales de *feedback* constantes al cerebro, indicándole la distancia a la que se ha desplazado la mano y su proximidad al botón. Tu cerebro utiliza este *feedback* para ajustar el movimiento de tu mano hasta que, ¡zas!, lo tocas.

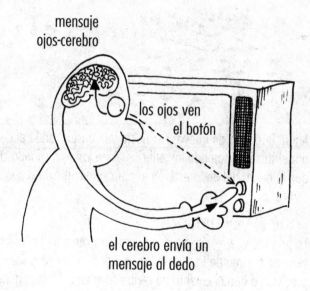

mensaje
ojos-cerebro

los ojos ven
el botón

el cerebro envía un
mensaje al dedo

¿Quieres saber cómo te ayudan diferentes tipos de *feedback*? Haz este experimento.

El mago de los robots
DEDO-FEEDBACK

¿QUÉ NECESITAS?
- ✜ canica o cualquier otro objeto pequeño
- ✜ tablero con orificios (juego que consiste en ensartar fichas)

PROCEDIMIENTO
Coloca la canica en el tablero a unos cuantos orificios del borde. Cierra los ojos y mueve un dedo hasta que creas que está en la vertical de la canica. Abre los ojos. ¿Estás cerca?

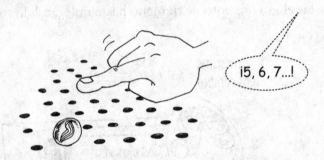

¡5, 6, 7...!

Ahora inténtalo de nuevo, pero esta vez desplazando el dedo por el tablero, notando los orificios. Abre los ojos cuando creas que la punta del dedo está en el orificio más próximo a la canica.

¿QUÉ HA OCURRIDO?
La primera vez, el dedo tal vez estuviera cerca de la canica, pero no encima de la misma. En realidad, no puedes ser preciso, ya que el cerebro no recibe *feedback*. En la segunda, el dedo debería quedar junto a la canica; tu cerebro está recibiendo *feedback* a través de los sensores táctiles en la punta del dedo.

Programas de perforación ....

Otro importante avance en la tecnología robótica llegó en el siglo XIX: las primeras máquinas programables, aunque los primeros programas no se destinaron a ordenadores, sino a telares.

Hilaturas automatizadas
Francia, 1804

Joseph-Marie Jacquard tuvo la idea para un nuevo invento en 1790, aunque no consiguió llegar demasiado lejos con ella a causa de una «ligera» distracción: la Revolución francesa.

En 1804, Jacquard había construido su máquina. Era un telar para tejer prendas de vestir que usaba tarjetas rígidas con orificios perforados que indicaban el color del hilo que había que utilizar y dónde. Diferentes tarjetas perforadas podían crear distintos diseños. Además de hacer posible tejer complicados estampados con facilidad (y de hacer rico a Jacquard), el telar fue la primera máquina programable del mundo.

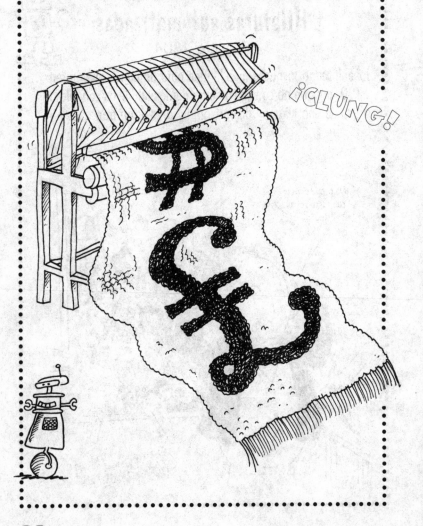

Las tarjetas perforadas se utilizaron habitualmente para programar máquinas mecánicas durante todo el siglo xix. Luego, en 1890, un norteamericano llamado Herman Hollerith construyó un ingenio eléctrico que utilizaba este tipo de tarjetas para almacenar información e instrucciones. Su máquina ganó un concurso para elaborar el censo de la población estadounidense en el menor tiempo posible. Los otros participantes invirtieron una media de 50 horas; Herman sólo 5.

Hollerith fundó la Tabulating Machine Company para fabricar sus máquinas de tarjetas perforadas, que más tarde se convertiría en la International Business Machines Corporacion, IBM para ti y para mí.

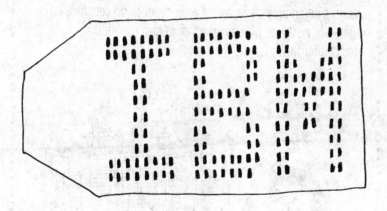

En Inglaterra, otro inventor construyó un artefacto que era mucho más que una simple calculadora. Su nombre, Charles Babbage.

Marcando la diferencia
Inglaterra, siglo XIX

Charles Babbage fue el primer hombre en diseñar y construir un ordenador de pleno rendimiento; bueno, en realidad más de uno. Entre 1822 y 1835 desarrolló algo llamado Difference Engine, diseñado para calcular con gran precisión tablas de numeración matemática. Luego centraría su interés en una máquina mucho más ambiciosa: el Analytical Engine, que tenía la mayoría de las características de un ordenador moderno.

Pero había un inconveniente: nadie podía construir aquella máquina, y en lugar de circuitos electrónicos tuvo que utilizar ruedas dentadas y engranajes, ya que las máquinas electrónicas todavía no se habían inventado. Ni siquiera los mejores ingenieros de la época eran capaces de construir un ingenio lo bastante preciso como para que funcionara correctamente.

Autoexhibición ....

Con el descubrimiento y uso de la electricidad a principios del siglo xx, los autómatas experimentaron un nuevo renacimiento. En las ferias y exposiciones en los años veinte y treinta la gente quedaba asombrada al ver artefactos metálicos de tamaño real que aparentemente eran capaces de realizar acciones humanas básicas e incluso responder a órdenes verbales.

Estas máquinas electrónicas seguían siendo autómatas, es decir, que carecían de la habilidad de pensar por sí mismas. Los centenares de dinosaurios y extraterrestres mecánicos que ahora se usan en las películas de ciencia ficción son los equivalentes modernos de aquellos autómatas. Estos dispositivos de control remoto se llaman «animatronics». Parecen increíblemente reales, pero todo cuanto hacen debe estar controlado por un hombre.

Los robots dominan el mundo ....

El término «robot» se usó por primera vez en los años veinte, y no por un científico o un inventor, sino por un autor de obras de teatro checoslovaco llamado Karel Capek, que lo acuñó para su obra *Rossum's Universal Robots*. Sus robots se afanaban incansablemente en su trabajo hasta que se volvían contra sus «gobernantes» humanos y acaban dominando el mundo.

Desde entonces, los robots en los libros y filmes de ciencia ficción se han mostrado bajo la forma de poderosas y perversas criaturas con un solo propósito: ¡DOMINAR EL MUNDO!

Pero tranquilo, no te alteres. Es imposible que pueda ocurrir. Para empezar, los robots con vida real sólo pueden hacer aquello para lo que se los ha programado. Muchos de ellos no son ni siquiera capaces de moverse; están fijos en un lugar. E incluso los que sí pueden hacerlo, no tendrían la potencia de batería suficiente para llevar a cabo tan diabólicos planes.

32

El invento del transistor.......................

Los primeros ordenadores se construyeron en los años cuarenta. Consistían en conmutadores llamados «tubos de vacío» o válvulas que les permitían tomar decisiones y hacer cálculos. Eran de gran tamaño, engorrosos y problemáticos. El ordenador ENIAC tenía alrededor de 18.000 válvulas, y cada dos minutos se rompía una.

Todo esto cambió con la invención del «transistor». Los primeros transistores fueron obra de tres norteamericanos: Walter Brattain, John Bardeen y William Shockley. Trabajaban mucho pero que mucho más deprisa que las válvulas y no se averiaban tan a menudo. A partir de los años cincuenta, los ordenadores se construyeron conectando miles de transistores.

Poco después de los transistores hizo su aparición el primer robot operativo.

¡Vaya fiesta!
Estados Unidos, 1956

El inventor George Devol y un joven ingeniero aeroespacial, Joseph Engelberger, acaban de conocerse en un cóctel. Entre bebidas y aperitivos hablan de una patente de Devol para la fabricación de un brazo móvil capaz de descargar cajas a tenor de las instrucciones facilitadas por un tambor magnético.

El tambor se puede reprogramar para que el brazo se mueva de otra forma.

Fue así como los dos decidieron construir el primer robot industrial. Se llamaba Unimate. La primera unidad entró en servicio en una fábrica de automóviles en 1961.

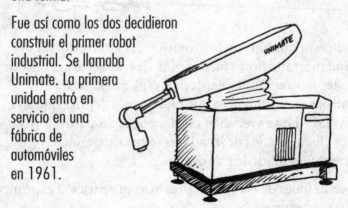

Chips, chips y más chips......................

Los transistores no tardaron en ser reemplazados por algo más pequeño aún si cabe: los chips de silicona, unos componentes diminutos que incorporaban el equivalente de miles de transistores y que iban conectados a un complicado circuito electrónico. Muy pronto, la unidad central de procesamiento de los ordenadores (su «cerebro») cabía en un solo chip. Era el primer «microprocesador».

Los microprocesadores modernos permiten al ordenador tomar múltiples decisiones pequeñas con una extraordinaria rapidez. En su interior, miles de conmutadores forman circuitos llamados «puertas lógicas», que ayudan al ordenador a tomar decisiones dejando pasar la electricidad sólo cuando se cumplen ciertas condiciones.

El mago de los robots
CONSTRUYE UNA SENCILLA PUERTA LÓGICA

¿QUÉ NECESITAS?
- pila de linterna
- bombilla de linterna
- cable eléctrico
- 4 tachuelas
- 2 listones pequeños de madera
- 2 clips sujetapapeles

PROCEDIMIENTO
Dispón los componentes como se indica en la ilustración. Conecta uno de los interruptores desplazando el clip hasta que entre en contacto con la segunda tachuela. Ahora intenta conectar el otro interruptor, y luego los dos. ➤

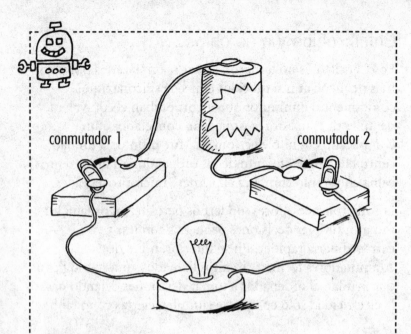

conmutador 1   conmutador 2

¿QUÉ OCURRE?

Lo que has construido es una puerta lógica AND. La electricidad sólo circulará por el circuito y encenderá la bombilla cuando los interruptores 1 AND (en inglés, «y») 2 están encendidos.

CAPÍTULO 3

COMPONENTES DE UN ROBOT

Examinemos más a fondo los diferentes componentes de un robot y cómo funcionan.

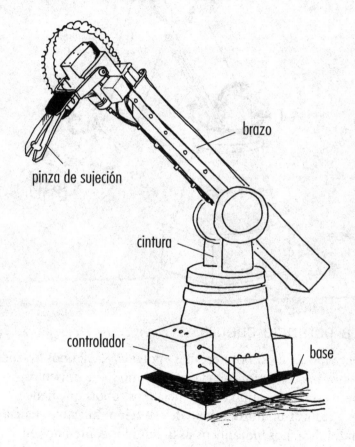

brazo

pinza de sujeción

cintura

controlador

base

Éste es el tipo más común de robot: el brazo mecánico. Sin patas, sin cabeza, sin cuerpo; simplemente un brazo (eso sí, tiene cintura).

37

Al igual que los brazos humanos, los de un robot también tienen articulaciones. Las diferentes direcciones en las que se puede mover una articulación se denominan «grados de libertad». La mayoría de los brazos de robot tienen cinco o seis grados.

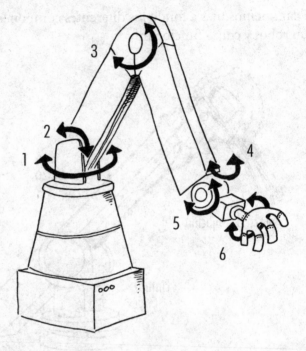

La potencia cuenta ....

Para mover un robot necesitas «potencia». Algunos brazos robóticos usan motores eléctricos a modo de músculos, pero éste es otro tipo de potencia. Los robots que tienen que realizar un duro trabajo de elevación utilizan potencia hidráulica. Los hidráulicos usan líquidos contenidos en cilindros para generar una asombrosa potencia; otros, en cambio, usan potencia de aire: los neumáticos. Los robots neumáticos no son tan fuertes como los hidráulicos, pero pueden responder mucho más deprisa.

Tanto los hidráulicos como los neumáticos son útiles en situaciones en las que una chispa eléctrica de un motor eléctrico podría provocar un incendio o una explosión (por ejemplo, rastrear fugas de gas en tanques y tuberías de combustible).

El mago de los robots
POTENCIA NEUMÁTICA EN ACCIÓN

¿QUÉ NECESITAS?
- ❖ globo
- ❖ libro pesado
- ❖ goma elástica
- ❖ bomba de bicicleta

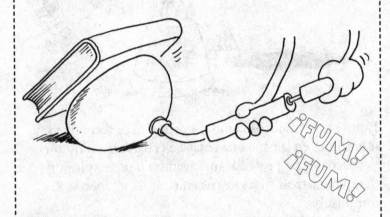

¡FUM!
¡FUM!

PROCEDIMIENTO
Ajusta el conector de la bomba de bicicleta a la boca del globo y sujétalo con una goma elástica. Pon el globo debajo del libro, dejando sobresalir el extremo unido a la bomba. Ahora insufla aire en el globo.

¿QUÉ OCURRE?
Al inflar el globo, el libro se eleva.

Si tienes una cama de aire y una bomba de pie, podrías intentar elevar a un adulto con potencia de aire. Dile a un amigo que se eche en la cama y luego insufla aire.

La «mano»

El extremo operativo de un brazo robótico se designa siempre con el término inglés *actuator*, que podríamos traducir como «agente» (el que actúa), y al que nosotros llamaremos «mano». La «mano» es la parte del brazo que realiza todo el trabajo, desde pulverizar la pintura para pintar un automóvil hasta desactivar explosivos. Los brazos robóticos pueden estar provistos de diferentes «manos» para realizar trabajos tales como perforar, triturar y remachar. Útil, ¿no?

Veamos... ¿cuál voy a ponerme para ir a la fiesta de R2D2?

Componentes de sujeción

Miles de brazos robóticos llevan un *gripper* («sujetor» o accesorio de sujeción) en la «mano» (*actuator*), que se utiliza para... ¿lo adivinas? Pues sí, para «sujetar» cosas. Los sujetores se construyen para manipular con la máxima precisión uno o dos tipos de objetos, pero lo cierto es que ningún sujetor, cualquiera que sea su clase, puede competir con la mano humana cuando se trata de manipular una infinidad de cosas diferentes.

¿Por qué es tan extraordinaria tu mano para sujetar? El cerebro y la mano trabajan juntos para ajustar automáticamente la cantidad de fuerza necesaria para sujetar un objeto determinado. Piensa en la que tienes que hacer para subir por una cuerda en el gimnasio de la escuela y la que necesitas para sujetar una delicada flor.

No es fácil programar un robot para utilizar la cantidad correcta de fuerza para sujetar algo.

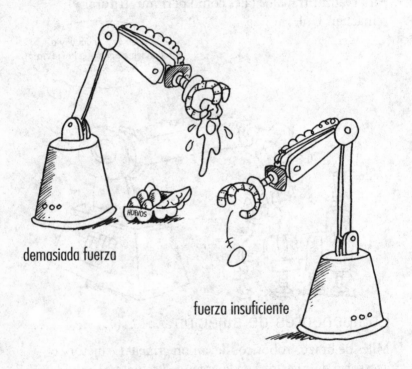

demasiada fuerza

fuerza insuficiente

Algunos robots realizan su compleja tarea de sujeción de objetos utilizando al mismo tiempo un tipo diferente de *actuator*, o mano. Por ejemplo, los que manipulan hierro y acero podrían usar electroimanes, es decir, imanes que se activan y desactivan mediante la electricidad.

42

El mago de los robots
CONSTRUYE UN ELECTROIMÁN

¿QUÉ NECESITAS?

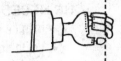

- ✦ pila de linterna
- ✦ 1 m de cable eléctrico
- ✦ cinta adhesiva
- ✦ clavo de hierro grande
- ✦ clips sujetapapeles metálicos

PROCEDIMIENTO

Enrolla la mayor parte del cable eléctrico alrededor del clavo, quita el revestimiento de plástico del último centímetro de los dos extremos del cable y conecta con cinta adhesiva uno de los extremos al polo superior de la pila, y el extremo opuesto a la base.

¿QUÉ OCURRE?

Ahora tu electroimán puede atraer los clips sujetapapeles metálicos. Desconecta el cable de la pila y los clips se desprenderán.

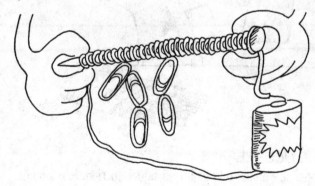

Algunos robots utilizan potentes succionadores de vacío para la sujeción, capaces de manipular grandes chapas de metal, vidrio y plástico.

El mago de los robots
SUCCIONA Y OBSERVA

¿QUÉ NECESITAS?
* hoja de papel
* pajita de refresco
* ¡tu boca!

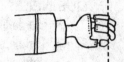

PROCEDIMIENTO
Métete en la boca un extremo de la pajita y presiona el otro extremo en la hoja de papel. Succiona con fuerza.

¿QUÉ OCURRE?
El papel se «pega» a la pajita. Si sigues succionando, podrás levantar el papel de la mesa.

Los succionadores de vacío en los robots trabajan de una forma similar.

En movimiento ....

Los brazos robóticos en las fábricas suelen estar fijos, aunque algunos robots necesitan moverse. Ruedas, raíles y «patas» son las alternativas más utilizadas para desplazarse por el suelo. Cada alternativa tiene sus ventajas e inconvenientes.

Raíles

VENTAJAS

Dan buenos resultados en un terreno irregular. Son fiables. Ideales para subir escaleras.

INCONVENIENTES

Se mueven con bastante lentitud.

TRAP, TRAP, TRAP

USOS

En la superficie de la Luna y de otros planetas; robots para la detección y desactivación de bombas.

EJEMPLO

Los robots destinados a la detección y desactivación de bombas suelen desplazarse sobre raíles y disponen de un brazo extensible. Se pueden instalar diferentes accesorios en el brazo para, por ejemplo, abrir la puerta de un automóvil. Uno de estos mecanismos, llamado «destructor» (*disrupter*), se usa para desactivar bombas mediante un potente chorro de agua.

Ruedas

VENTAJAS

El más rápido de los tres tipos.

INCONVENIENTES

No es tan eficaz en terrenos irregulares.

GUIJARROS

USOS

En fábricas para transportar materiales de un lado a otro o en hospitales para transportar suministros médicos.

EJEMPLO

Son vehículos de control automático (AGV) que siguen una ruta preestablecida mientras transportan objetos en una fábrica, oficina u hospital. Esta ruta suele estar delimitada por un cable eléctrico subterráneo. Algunos AGV pueden incluso utilizar ascensores.

Cuatro o más «patas»

VENTAJAS

Excelentes para sortear obstáculos.

INCONVENIENTES

Diseño más complejo; difíciles de construir.

USOS

En zonas de desastres (terremotos, etc.), terrenos impredecibles y centrales eléctricas.

EJEMPLO

El Robug III es un robot de investigación de ocho patas diseñado para desplazarse en terrenos difíciles. Pesa 60 kg y puede transportar cargas de hasta 100 kg... ¡subiendo por las paredes!, así como también en terreno plano.

¡Estoy subiendo por la pared!

47

Para un robot es esencial estar en posición vertical, ya que cuando se cae, es incapaz de ponerse de nuevo en pie. De ahí que los robots de raíl, ruedas y multipatas tengan puntos de contacto con el suelo.

Pero los humanos sólo tienen dos piernas: ¿por qué no los robots? Porque dos patas no es el sistema más estable para desplazarse. Nosotros no nos caemos al andar porque disponemos de un sistema de equilibrio increíblemente avanzado, pero para un robot resulta mucho más difícil. Lo comprenderás con el siguiente experimento.

El mago de los robots
CUATRO PATAS, ¡ESTUPENDO! DOS PATAS, ¡FATAL!

¿QUÉ NECESITAS?
❖ muñeca de juguete o figura articulada con brazos y piernas móviles (por ejemplo, Acción Man).

PROCEDIMIENTO
1 Coloca la muñeca de pie.
2 Levanta una de las piernas hacia arriba y hacia delante, como si diera un paso, y luego suéltala.

➤

3 Ahora intenta equilibrarla con las manos y rodillas apoyadas en el suelo (o los pies si es capaz de flexionar las rodillas). Levanta un brazo hacia arriba y hacia delante como si estuviera a punto de gatear.

¿QUÉ OCURRE?

En posición vertical, la muñeca sólo tiene un punto de contacto con el suelo una vez levantada una pierna. Es muy inestable y lo más probable es que se caiga. Pero apoyada en manos y rodillas, aún dispone de tres puntos de contacto con el suelo tras haber levantado un brazo. Es mucho más estable.

Aun así, un equipo de científicos en Japón ha construido a P3, un robot de dos patas del tamaño de un hombre pequeño, dotado de sensores en los pies y el estómago que envían mensajes al cerebro del ordenador incorporado para ayudarlo a tenerse en pie. P3 puede caminar por un terreno irregular e incluso subir escaleras.

Robots volantes ....

No todos los robots se desplazan por el suelo. Algunos incluso pueden volar.

Cypher es un robot volante. Se parece a un OVNI y es capaz de desplazarse por el aire, detenerse y mantenerse suspendido como un helicóptero.
Realiza funciones de espionaje y toma fotografías aéreas a distancias cortas.

Global Hawk es otro robot volante diseñado para espionaje a distancias mucho más largas. Puede cubrir más de 22.000 km en un solo viaje, y para evitar su detección opera al doble de altitud de un avión de aerolínea. Su fuselaje aerodinámico está provisto de potentes cámaras con zoom y una antena parabólica de 4 m de diámetro en el morro capaz de enviar fotografías *top secret* al instante. Los planificadores de la misión programan instrucciones acerca de su destino y de lo que debe buscar. Del resto se encarga él mismo, incluyendo evitar las malas condiciones meteorológicas y volar describiendo complejas trayectorias que dificultan su detección por radar.

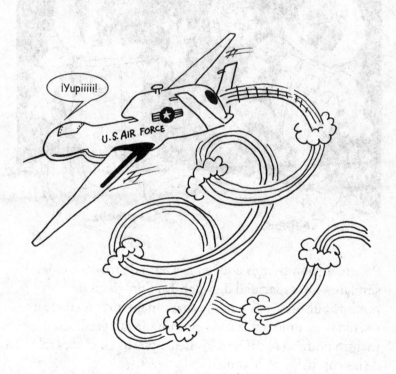

En el espacio los robots pueden volar sin alas o potentes motores. el robot-cámara Sprint Aercam de la NASA tiene forma de balón de fútbol, y navega enviando a la Tierra excelentes imágenes de la lanzadera espacial o cualquier otra estación.

Pronto dispondremos aquí en la Tierra de robots-pelota similares con capacidad de volar. Irán provistos de minipropulsores más potentes para mantenerlos en el aire y serán muy útiles en la construcción de rascacielos. Incluso podrían sustituir a los helicópteros en el control de las condiciones de tráfico.

Rotos submarinos ....

Otros robots se desplazan bajo el agua. Los robots subacuáticos deben construirse para resistir la presión del agua, pero no necesitan grandes suministros de aire, alimentos y agua para la tripulación. Esto significa que pueden alcanzar mayores profundidades y permanecer allí más tiempo.

Los robots submarinos ya se están utilizando para controlar las tuberías de combustible y cables en el cauce oceánico, trazado orográfico del cauce y salvamento de naufragios. Por ejemplo, el robot Jason Jr. se sumergió a una profundidad de 3.965 m para explorar y fotografiar el naufragio del transatlántico *Titanic*.

El mago de los robots
A MAYOR PROFUNDIDAD, MAYOR PRESIÓN

¿QUÉ NECESITAS?
- plastilina
- lata grande
- taladro o punzón para perforar la lata

PROCEDIMIENTO
Haz tres orificios en la lata: uno cerca de la base, otro en medio y otro más cerca de la abertura superior. Sella los orificios con plastilina, por el exterior, y luego llena la lata de agua (hazlo en el fregadero o la bañera). Ahora quita la plastilina.

¿QUÉ OCURRE?
Lógicamente, el agua escapa por los orificios. Pero fíjate en la distancia que alcanza cada chorro al salir. Sale más agua por el orificio de la base que por el más próximo a la abertura superior, y a mayor cantidad de agua en la parte superior de la lata, mayor es la presión.

CAPÍTULO 4

CONTROL DEL ROBOT

Sin instrucciones, un robot es una máquina «tonta».
¿Cómo hay que decirles lo que tienen que hacer?

Jason Jr. es un robot de control remoto. Esto significa que
está conectado a un controlador humano situado a una
cierta distancia a través de un cable o señales de radio. Hay
quien opina que en realidad un robot controlado a distancia
por un operador humano no es un robot. Pero lo cierto es
que la mayoría de estas máquinas de control remoto pueden
hacer cosas por sí mismas. Por ejemplo, el controlador
podría decirle que se desplazara hasta un lugar determinado,
pero es el robot el que tiene que establecer la ruta.

55

Los movimientos de algunos brazos robóticos que trabajan en plantas industriales se han copiado de los de un operador humano. Cada movimiento está programado en la memoria del robot, de manera que puede repetirlos una y otra vez.

Lento, lento, rápido, rápido, lento...

Los programas informáticos son grupos de instrucciones. En el interior de un controlador moderno de robot hay microprocesadores fabricados con chips de silicona. El controlador puede cargar programas por sí solo o recibir instrucciones de un programa cargado en otro ordenador.

Los sentidos.....................................

Los sensores son una parte esencial de la mayoría de los robots. Proporcionan *feedback* a su controlador al igual que tus sentidos envían información a tu cerebro.

Los sensores permiten al robot determinar dónde están todos sus componentes, adónde va y qué ocurre a su alrededor. El hombre sabe instintivamente dónde se hallan las partes de su cuerpo, pero un robot no. De ahí la necesidad de sensores.

Muchos robots tienen sensores que usan diferentes potencias de señales eléctricas para representar distancias. Para ver cómo funciona, realiza el experimento siguiente.

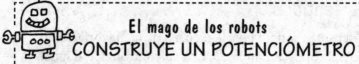

El mago de los robots
CONSTRUYE UN POTENCIÓMETRO

¿QUÉ NECESITAS?
- pila
- bombilla en un portalámparas
- 3 trozos de cable eléctrico
- cinta adhesiva
- mina de lápiz

PROCEDIMIENTO
Une la pila y la bombilla con un trozo de cable; la pila y un extremo de la mina de lápiz con otro, y el extremo opuesto de la mina y la bombilla con el tercer trozo de cable.

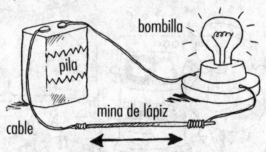

bombilla

pila

mina de lápiz

cable

Ahora aproxima uno de los cables conectados a la mina al otro y luego aléjalo.

¿QUÉ OCURRE?
Al aproximar los cables, la intensidad de la luz de la bombilla aumenta, y al alejarlos disminuye. ¿Por qué? La mina de lápiz resiste el paso del flujo de electricidad. A mayor cantidad de mina en el circuito, menor cantidad de electricidad llega hasta la pila. Los potenciómetros que se utilizan en los robots funcionan de una forma similar: la posición de un componente de un robot se puede representar mediante una señal eléctrica que cambia con el movimiento del componente.

Para un robot móvil no basta saber dónde están todos los componentes que lo integran. También es necesario saber qué hay a su alrededor. De ahí que se utilicen sensores para medir la distancia a la que está de un objeto. Los sensores de proximidad actúan como un radar, o como el sistema de ecolocalización de un murciélago, enviando una onda acústica o una señal luminosa y midiendo el tiempo que tarda en rebotar en un objeto y regresar al punto de partida. A mayor distancia, más tardará la señal en regresar.

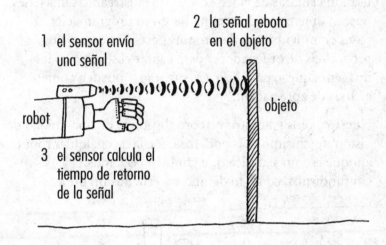

Los sensores de proximidad no son la única forma en la que un robot puede obtener información acerca de su entorno. Algunos modelos son sensibles a la temperatura, a la cantidad de luz o a la presencia de gases o sustancias químicas. Los robots «olfativos», por ejemplo, pueden detectar una fuga de gas en una tubería.

¡Vaya por Dios! ¡Una fuga!

Algunos robots tienen una especie de visión limitada, usando cámaras de vídeo con las que rastrean las imágenes, buscan objetos predeterminados en su programación o cosas en movimiento. Los robots necesitan complejos programas de ordenadores para captar el sentido de las imágenes que «ven». Aun así, sus «ojos» pueden cometer errores de apreciación.

Nuestros ojos y nuestro cerebro disponen de una unidad de visión muchísimo más poderosa que la de cualquier robot, aunque eso no significa que también podamos confundirnos, como lo demuestra esta ilusión óptica.

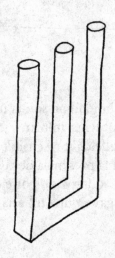

Obsérvala detenidamente. ¡Parece imposible! Eso se debe a que tu cerebro está intentando componer una imagen tridimensional de otra imagen plana bidimensional.

En marcha

La necesidad de «ver» es especialmente importante cuando los robots están diseñados para desplazarse. Es más fácil para un robot moverse en el suelo plano y liso de un laboratorio científico o una factoría, y mucho más difícil negociar las irregularidades del terreno en un jardín o campo de golf. Veamos dos ejemplos: un cortador de césped y un *caddy* de golf.

Robomower usa un cable-guía que recorre el perímetro del área de césped a modo de cancela. Nunca traspasa el cable. Asimismo, está provisto de sensores de proximidad que detectan la presencia de obstáculos en el terreno, ¡desde una pelota hasta un gnomo!

Sus sensores de proximidad han vuelto a fallar

El Intelecaddy, diseñado para el transporte de la bolsa de palos en el campo de golf tiene un sistema más complicado. Lleva incorporado un mapa del campo (*greens*, hoyos, *bunkers*, etc.) impreso en su memoria. Un sistema global de posicionamiento le permite saber exactamente dónde se encuentra en cualquier momento, evitando automáticamente los *bunkers* y los obstáculos de agua. Sigue al jugador mediante las señales que emite una pequeña radio ajustada a la cintura.

Robots pensantes ....

Ya hemos visto cómo los robots se pueden utilizar para realizar tareas difíciles, peligrosas o aburridas. Pero incluso el más sofisticado de los robots es una máquina que sólo puede hacer aquello para lo que ha sido programado; nada más. El verdadero desafío es construir uno capaz de aprender y pensar por sí mismo.

CAPÍTULO 5

INTELIGENCIA ARTIFICIAL

¿Qué es la inteligencia artificial? Me encanta que me hagas esta pregunta. La IA (abreviatura de «inteligencia artificial») tiene dos aspectos diferenciados. Por una parte, la IA estudia el cerebro humano y animal para comprender cómo funciona. Y por otra, intenta utilizar lo que sabemos acerca de nuestro cerebro para perfeccionar la capacidad intelectiva de los robots y los ordenadores.

Tanto los humanos como los animales toman decisiones basadas en su experiencia, y también a partir del instinto o intuición. La IA se propone comprender cómo lo hacen para luego programar máquinas que funcionen del mismo modo.

Una cosa es segura: la IA es una disciplina compleja. Las áreas de estudio son innumerables. Si quieres ser un genio en IA deberás conocer materias tales como...

MATEMÁTICAS
LINGÜÍSTICA
LÓGICA
TEORÍA DE LA DECISIÓN
PSICOLOGÍA
ELECTRÓNICA
GESTIÓN DE LA INFORMACIÓN
TEORÍA DEL APRENDIZAJE
INGENIERÍA DE PROGRAMAS

Dada la cantidad de disciplinas que hay que estudiar, los expertos en IA trabajan en equipo.

¡Eres asombroso! ....

Los científicos de IA tienen una difícil tarea, ya que intentan competir con algo realmente increíble: ¡tú!

Me encanta que reconozcas que soy genial

Bueno, no exactamente tú. También tus amigos y conocidos. En realidad, cualquier humano, ¡incluidos tus profesores!

¿Son humanos los profesores?

Nuestro cuerpo está repleto de sofisticados sensores conectados a un controlador extraordinariamente poderoso: el cerebro. Las máquinas andan aún muy retrasadas en cuanto se refiere a la comprensión de información y reacción. El cerebro humano maneja colosales masas de información, al igual que un ordenador, pero hace mucho pero que mucho más. Puede trabajar con múltiples tipos de información al mismo tiempo, analizarla globalmente, seleccionar los datos importantes, aprender de ellos y tomar decisiones complejas. Podríamos decir que los robots y los ordenadores no juegan en la misma liga, o por lo menos todavía no.

El cerebro inteligente ....

Así pues, ¿qué es lo que hace que nuestro cerebro sea tan inteligente? Aunque los científicos aún no comprenden exactamente cómo funciona el cerebro, podemos hacernos una idea de su complejidad a partir de lo que sabemos.

El cerebro es el centro de control de todo tu cuerpo. Dispone de una red de comunicaciones formada por miles y miles de células mensajeras, llamadas «nervios», que envían información desde el cerebro hasta las demás partes del cuerpo. El envío se realiza a través de impulsos eléctricos que discurren a lo largo de las fibras nerviosas. Estos impulsos son «todo o nada»: o actúan o no actúan.

El cerebro está compuesto de muchísimas células nerviosas llamadas «neuronas» (alrededor de mil por término medio). Sin embargo, estas conexiones son unidireccionales: entran, pero no salen (*inputs*, no *outputs*), de manera que una neurona recibe información de otras muchas neuronas, pero sólo puede enviar una señal.

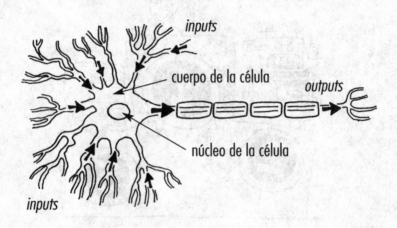

Una de las cosas que hacen tan poderoso nuestro cerebro es la asombrosa cantidad de neuronas que contiene: alrededor de 100.000 millones. Y dado que cada neurona está conectada a otras mil, eso hace un total de aproximadamente... ¡100 trillones de conexiones nerviosas!

Test de inteligencia...............................

Teniendo en cuenta que el cerebro humano es tan increíble, un excelente test de inteligencia artificial de una máquina consiste en averiguar en qué medida es capaz de imitar a un humano. Eso es lo que Alan Turing, uno de los pioneros de la IA, realizó en 1950.

El test de Turing
Inglaterra, 1950

Éste es Alan Turing.

¡Hola!

Durante la Segunda Guerra Mundial Alan trabajó con ordenadores *top secret* que descifraban el código militar más rebuscado de los alemanes: Enigma. Ahora está interesado en la IA, y ha diseñado un test para medir la «inteligencia» real de un ordenador.

¿Cómo funciona este test? Tan fácil como A, B y C.

Se coloca un ordenador en una sala y el «juez» humano en otra. El juez «habla» al ordenador a través de un monitor y un teclado.

Unas veces, otro humano toma el control del ordenador en la sala sellada y mantiene una conversación con el juez, y otras el ordenador responde por sí solo.

El test es: ¿es capaz el juez humano de distinguir una respuesta humana de la del ordenador?

➤

Algunos programas informáticos no obtienen altas
puntuaciones, pero los hay que consiguen acelerar la
respuesta de un ordenador hasta asimilarla a la humana.
Hasta la fecha, ningún ordenador ha sido capaz de
confundir a un juez humano durante demasiado tiempo,
pero lo cierto es que pueden mantener interesantes
conversaciones. Veamos un ejemplo...

Programa   Hola, me llamo Jim. ¿Quién eres tú?
Juez   Charles.
Programa   Charles es un luchador en As You Like It.
Charles es el rey de Francia en El rey Enrique VI 1ª parte.
Juez   ¿Te gusta Shakespeare?
Programa   Pues claro.
Juez   ¿Qué es lo que te gusta más de sus obras?
Programa   Bueno, tienen una especie de je ne sais quoi.
Juez   Me parece estupendo que te gusten sus obras.
Programa   Me gustan los sincronizadores.
Juez   ¿Como los de *Star Trek*?
Programa   Es posible.
Juez   ¿Qué es posible?
Programa   Nada.

¡Supermodelo! ....

Los científicos han descubierto diferentes maneras de
construir máquinas con potencial de IA. Uno de los
enfoques utilizados es el llamado *top-down*, o enfoque del
modelo. El ordenador tiene que decidir lo que va a hacer
comparándolo con su experiencia con un modelo del
mundo real instalado en su memoria. El modelo suele ser
algo extremadamente específico, como, por ejemplo, una
ingente cantidad de información acerca del ajedrez o de los
síntomas de enfermedades comunes. Aún no se ha
construido ningún robot u ordenador provisto de un
conocimiento tan amplio como el nuestro, pero en sus
campos particulares, algunos de estos ordenadores *top-
down* pueden superar el rendimiento humano.

Deep Blue y Deeper Blue
Nueva York, 1996

Éste es el software informático Deep Blue, bastante bueno
en ajedrez. Ha sido programado con
todas las partidas más famosas del
pasado y puede analizar 500
millones de movimientos diferentes
por segundo. Deep Blue ha
derrotado a algunos de los mejores
ajedrecistas humanos del
mundo. En 1996 compitió
contra el campeón mundial
de ajedrez, Gary Kasparov, y
a pesar de su incomparable
poder, Kasparov lo barrió del
tablero y ganó la partida.

➤

Pero éste no es el final de la historia. Dos años más tarde, volvió a la carga, más grande y perfeccionado. Se llama Deeper Blue y es capaz de analizar mil millones de movimientos por segundo. Kasparov luchó como un jabato, pero esta vez ganó el ordenador.

Enfoque conductual...................................

El enfoque *top-down* funciona bien en unos pocos y limitados casos, pero no cuando se trata de programar robots de movimiento libre en un mundo en constantes cambios. En este sentido, el enfoque conductual, o *bottom-up*, resulta mucho más prometedor. Se basa en proporcionar a la máquina un conjunto de reglas básicas acerca de cómo debe comportarse y la capacidad de aprendizaje, y añadirlas a las reglas derivadas de su experiencia en el mundo real. Con el tiempo, estos programas de aprendizaje pueden desarrollar los conocimientos de una máquina.

Un tipo de programa *bottom-up* es la «red neural», que imita hasta cierto punto el funcionamiento de una pequeña parte del cerebro. Una red neural está formada por múltiples nodos, cada uno de los cuales actúa como una neurona en el cerebro.

Al igual que las neuronas, un nodo recibe señales de otros muchos nodos, pero sólo envía una. Y al igual que el cerebro, una red neural puede «aprender». Por ejemplo, las redes neurales son muy eficaces en la identificación de figuras tales como letras y números. Al principio, una red neural que ha sido programada para reconocer palabras escritas a mano no consigue resultados demasiado brillantes; puede tener problemas al descifrar la escritura manuscrita o malinterpretar algunos términos.

Pero a medida que se le va «entrenando» mostrándole innumerables ejemplos de escritura, mejora considerablemente en la «lectura».

Algunas redes neurales pueden incluso concebir ideas por sí solas. Un científico construyó una red neural y la programó con las melodías de algunas canciones superventas para que, más tarde, compusiera sus propios temas. ¿El resultado? ¡11.000 nuevas canciones!

Aprendiendo a sobrevivir......................

En los seres vivos, los padres se reproducen y transmiten sus características a la siguiente generación a través de sus genes, y en cada generación, los individuos más adaptados sobreviven y a su vez se reproducen. Los menos afortunados no se reproducen. Éste es el proceso de la selección natural, la fuerza impulsora de la evolución. Algunos investigadores de IA han utilizado un tipo de proceso de selección natural para producir programas que «evolucionan».

Selección de raza robótica

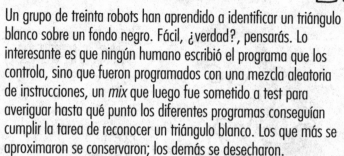

Inglaterra, 1995

Un grupo de treinta robots han aprendido a identificar un triángulo blanco sobre un fondo negro. Fácil, ¿verdad?, pensarás. Lo interesante es que ningún humano escribió el programa que los controla, sino que fueron programados con una mezcla aleatoria de instrucciones, un *mix* que luego fue sometido a test para averiguar hasta qué punto los diferentes programas conseguían cumplir la tarea de reconocer un triángulo blanco. Los que más se aproximaron se conservaron; los demás se desecharon.

¿Y qué tiene de especial este triángulo?

A continuación, los programas que sobrevivieron en la «primera generación» se mezclaron y duplicaron para producir una «segunda generación». Estos nuevos programas se sometieron de nuevo a test, y los mejores determinaron una «tercera generación», luego una cuarta, una quinta, etc. (Este tipo de programa se denomina «algoritmo genético».) Después de treinta generaciones, un programa capaz de conseguir que un robot se desplazara hacia el triángulo blanco y se detuviera frente a él se consideró «evolucionado».

Es posible que, utilizando este enfoque, los científicos sean capaces de evolucionar programas que permitan a un robot operar en una amplia gama de situaciones.

Me pregunto si podría conseguir que estos dos hicieran mis deberes...

¡Qué caos! ....

Un ordenador trabaja con información digital que circula a través de millones de conmutadores que están «on» u «off», es decir, uno o cero. Esto sólo puede conducir a una respuesta de blanco o negro, verdadero o falso, aunque en el mundo real casi nunca es tan simple. La «lógica del caos», una teoría científico-filosófica, se basa en el uso de programaciones especiales para incluir una gama de valores, no sólo 1 o 0. Esto permite computar nociones tales como relativamente caliente o una curva muy pronunciada en la carretera. Es un intento de aplicar a la programación de un ordenador una forma de pensar más parecida a la humana. La lógica del caos ya se está usando en máquinas tales como lavadoras y en los más recientes controles de automóvil.

Trabajar juntos ....

Hasta la fecha hemos buscado formas de hacer inteligentes a robots individuales. Otra idea es combinar robots con diferentes capacidades. Por ejemplo, un grupo de robots trabajando juntos en un edificio podrían levantar fácilmente los planos en un par de minutos.

Robot futbolista ....

No es broma, investigadores en el campo de la robótica de todo el mundo están formando... ¡equipos de fútbol! El fútbol es una buena forma de poner a prueba innumerables aspectos de la investigación. Los robots deben disponer de un buen sistema sensorial para saber dónde está el balón; ser capaces de moverse con rapidez sin colisionar con otros jugadores, y tienen que trabajar en equipo para meter goles.

Existen muchísimas ligas de fútbol robótico. La mayoría de ellas se juegan con robots de pequeño tamaño y con ruedas, pero los investigadores están diseñando jugadores de tamaño real. Incluso se organizan competiciones de fútbol robótico junior en las que los niños pueden programar robots de bloques de plástico ya construidos.

Los partidos de fútbol robótico tienen que ser cortos, ya que los robots no disponen de suficiente potencia de batería como para funcionar durante largos períodos. Pero eso sí, la emoción está asegurada: ¡en un partido de diez minutos, el resultado fue de 20-0!

El fútbol robótico está aún en su más tierna infancia, pero los organizadores de la RoboCup, una de las competiciones que se organizan anualmente, sueñan en el futuro. En el año 2050 está previsto construir un equipo de futbolistas-robots parecidos a los humanos que puedan medirse a los campeones del mundo humanos... ¡y derrotarlos!

CAPÍTULO 6

CONSTRUYE UN ROBOT DE ELEVADO CI

¡Bien hecho! Si has llegado hasta aquí, significa que has aprendido lo suficiente como para empezar a planificar tu propio robot de elevado CI. Lo primero que deberás hacer es decidir qué quieres que haga y dónde. Tus decisiones influirán en su ensamblado.

Reflexiona un poco. ¿Qué te gustaría que hiciera tu robot? Y ¿qué características deberá tener para hacerlo?

¿Dónde deseas utilizarlo?, ¿dentro o fuera de casa? Si va a trabajar a la intemperie necesitará un revestimiento impermeable.

¡Anda, corre, corre!.............................

Para que el robot sea lo más eficaz posible, debe ser móvil. Decide cómo se desplazará. Una oruga de ruedas que puedan girar e inclinarse para subir unas escaleras sería ideal en casa.

Una forma poco habitual de solucionar el problema de negociar unas

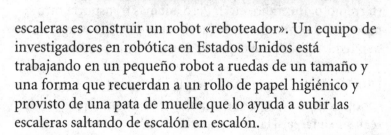

escaleras es construir un robot «reboteador». Un equipo de investigadores en robótica en Estados Unidos está trabajando en un pequeño robot a ruedas de un tamaño y una forma que recuerdan a un rollo de papel higiénico y provisto de una pata de muelle que lo ayuda a subir las escaleras saltando de escalón en escalón.

¿De qué tamaño? ....

¿Qué tamaño debería tener tu robot? Si vas a utilizarlo dentro de casa tendrá que pasar por los marcos de las puertas, y si es demasiado alto podría caerse. Por otro lado, si es demasiado pequeño, apenas será capaz de levantar pesos. Un robot de búsqueda y rescate desarrollado en Estados Unidos ha dado una ingeniosa respuesta al problema del tamaño. El robot principal mide 2 m de longitud y está diseñado para trepar por los montones de cascotes en las zonas asoladas por una catástrofe (terremoto, incendio, etc.). Pero además transporta otro robot mucho más pequeño, accionado por una oruga, que se puede utilizar para explorar áreas de difícil acceso.

Una forma de *squad* tal vez sería la más estable para tu robot, pero ¿será capaz de alcanzar todo cuanto quieres para realizar su tarea? Haz este experimento; te ayudará a decidir.

El mago de los robots
ROBOT DE ALCANCE 1

Transfórmate en un robot y averigua hasta dónde puedes llegar con un brazo recto y con uno de articulación media.

PROCEDIMIENTO
Arrodíllate y estira un brazo al frente. Ahora eres un robot doméstico de tamaño habitual. Empieza a desplazarte por la habitación y observa hasta dónde alcanzas con tu brazo rígido y capaz únicamente de moverse arriba y abajo. Ahora intenta alcanzar las mismas cosas pero flexionando el brazo.

¿QUÉ OCURRE?
Desplazarse de rodillas es bastante lento, aunque es la típica velocidad de un robot. ¿Hay objetos a los que has sido incapaz de llegar? Apuesto a que sí. Con el brazo flexionado debería de haber sido diferente, más fácil. Es probable que hayas podido alcanzar unas cuantas cosas más.

Y ¿qué decir de todo aquello que está fuera de tu alcance incluso con un brazo articulado? ¿Modificarás tu casa o dotarás al robot de un brazo telescópico que pueda extenderse hacia arriba? Recuerda que cuanto más largo es el brazo, menos peso puede cargar y más difícil es controlarlo. Veámoslo en el siguiente experimento.

¡Ojalá me hubieran diseñado con brazos telescópicos!

El mago de los robots
ROBOT DE ALCANCE 2

¿QUÉ NECESITAS?

- caña de bambú larga (de las que usan en jardinería)
- trozo de cuerda
- imán
- clips sujetapapeles metálicos

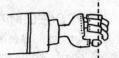

PROCEDIMIENTO

Ata el imán a la cuerda y ésta a un extremo de la caña, de manera que el imán quede suspendido a 30-50 cm de la caña. Ahora coloca un par de clips sujetapapeles metálicos e identifica el que quieres atrapar con el imán. Primero sostén la caña a una corta distancia de la cuerda, y luego sostenla por el extremo opuesto al del imán.

¿QUÉ OCURRE?

Sujetando la caña cerca del imán es muy fácil atrapar el clip, pero cuando lo haces por el extremo opuesto al del imán, es mucho más difícil controlarlo con precisión.

Posición de los sensores ....

Una vez establecido el tamaño adecuado, es hora de pensar en los sensores. Sin duda desearás que tu robot esté provisto de sensores de diferentes tipos. Necesitará sensores de proximidad para detenerse antes de colisionar con un objeto. Quizá también te interese dotarlo de sensores de temperatura, de manera que emita un sonido de alarma en caso de incendio. Asimismo, un sistema de visión de soporte vídeo sería ideal para los sensores principales del robot. Todo ello unido a un software avanzado capaz de apreciar objetos y distancias.

La posición de la cámara o cámaras es importante. Si colocas una en el brazo, puede enviar señales visuales de lugares que la cámara del cuerpo no puede captar.

Tu robot de elevado CI debería tener sus sensores concentrados en los lugares en los que son más necesarios. Tu cuerpo está diseñado de este modo, tal y como puedes comprobar con el experimento siguiente.

El mago de los robots
POSICIONAMIENTO DE SENSORES EN PUNTOS CLAVE

¿QUÉ NECESITAS?
- ✤ venda (para los ojos)
- ✤ un amigo
- ✤ 2 lápices

PROCEDIMIENTO
Ponte la venda y pide a tu amigo que te toque ligeramente en los brazos, piernas, manos, dedos y espalda, unas veces con un lápiz y otras con dos. Intenta adivinar cuándo te toca con uno y cuándo con dos.

¿QUÉ OCURRE?
Los lugares en los que mejor percibirás la sensación son aquellos en los que tu cuerpo dispone de la mayoría de los sensores del tacto, como por ejemplo los dedos. El cuerpo ha sido cuidadosamente diseñado para que los captadores de información estén allí donde son más necesarios. En otras áreas del cuerpo, como por ejemplo la espalda, la cantidad de sensores táctiles es muy inferior.

Centro de operaciones ....

A continuación debes pensar en cómo vas a controlar tu robot. ¿Cuántos tipos de *inputs* le proporcionarás? Los comandos de voz son fáciles; activa un sistema de voz. Necesitarás dispositivos especiales llamados «filtros» para eliminar el ruido de fondo. Quizá también quieras instalar un programa para enseñarle a reconocer tu voz, de manera que sólo responda a tus órdenes, además de un escáner para que pueda «leer» palabras escritas.

Procura que tus comandos sean claros. Por ejemplo, si escribes «Gran Via de les Corts Catalanes 35», ¿queda claro que se trata de la primera línea de una dirección postal o de una lista numérica de instrucciones?

Si no programas algún mecanismo a prueba de fallos, podrías lamentarlo.

Grandes cerebros ....

Y ahora, lo más difícil. Necesitarás un montón de software
«inteligente» funcionando al mismo tiempo para dotar al
robot de la capacidad de actuar por sí solo en respuesta a
las tareas solicitadas. Sin duda desearás que pueda
reaccionar ante las situaciones más comunes; instala una
«base de conocimiento» con arreglo a la cual la máquina
sea capaz de trabajar.

```
Jasper = P de Pelmazo
Si P llama a la puerta, ENTONCES
        [activar voz]
DECIR Dato 1
Dato 1: «No está en casa.
        Ha salido»
```

Es probable que también quieras incluir un programa
de aprendizaje basado en redes neuronales o software de
aprendizaje, de manera que el robot pueda aprender de sus
propias experiencias y construir su propia base de
conocimiento.

¿Y por qué no, ya que estamos, incorporar un software de
lógica? Tu nuevo amigo inteligente puede encontrarse en
situaciones que no son ni blanco ni negro.

Conexiones

Darle acceso a una red informática podría resultar mucho más útil. De este modo, el potente ordenador de a bordo podría interactuar satisfactoriamente con Internet. Pero ¿cómo conectarlo a la red? Tal vez, al igual que R2D2 en la película *La guerra de las galaxias*, mediante una sonda conectada a una toma de corriente. O mejor aún, podrías utilizar señales de radio para mantenerlo en contacto con la red.

Por cierto, no olvides dotarlo de parachoques de goma; amortiguarán los impactos si colisiona accidentalmente con una pared, el mobiliario o... ¡el gato!

Construir el robot.................................

Una vez completada la fase de planificación, ¡a comprar!

Evidentemente vas a tardar algún tiempo en ensamblar los componentes...

pero si lo consigues, dispondrás de una máquina apasionante y superpoderosa.

CAPÍTULO 7

LOS ROBOTS EN EL FUTURO

Bien, ya tienes tu robot inteligente. Y ahora, ¿qué vas a hacer con él? ¿Encomendarle las tareas domésticas? Tal vez sí. Es tentador dejar que las máquinas realicen todo el trabajo. Pero ¿qué más? ¿Qué te parecería que te echara una mano en los deberes escolares? Podría navegar por Internet en tu ausencia y ofrecerte una relación de datos básicos (trabajos, apuntes, resolución de problemas, etc.) a tu regreso. ¡Ciber-tástico!

Es poco probable que los robots sustituyan a los profesores humanos en el aula, pero los tutores robóticos podrían entrar en tu hogar en los próximos veinte años poco más o menos, tanto si construyes uno como si no. Dispondrán de una base de datos y un diccionario de a bordo para poder deletrear, explicar palabras complejas y responder a todas tus preguntas.

En realidad, las tareas más duras para un robot seguirán siendo aquellas cosas que hacemos con facilidad, tales como reconocer a nuestros semejantes y saludarlos, o abalanzarnos instintivamente al frigorífico para tomar un refrigerio cuando tenemos hambre.

Esto es así porque a los robots, aun siendo modelos inteligentes en el futuro, les resultará muy difícil acumular los niveles de conocimientos generales que tenemos en muy diferentes áreas.

En la granja...

La agricultura es una tarea fatigosa y un verdadero «rompe-espaldas», ideal para máquinas inteligentes diseñadas para soportar un calor sofocante y una lluvia intensa. Sería sencillo para ellos dedicarse a la recolección de cosechas tales como pimientos, hojas de té y fruta. Equipos de científicos en Israel e Italia han ensayado con robots recolectores de tomates con un éxito extraordinario.

¡Alto! ¿Quién va? ....

Muchas empresas, museos y galerías de arte del futuro disfrutarán de personal de seguridad robotizado. Los robots no se duermen ni se distraen en su tarea de patrullar incansablemente el edificio en busca de ladrones. Si detectan un intruso, lo grabarán en vídeo y dispararán una alarma. Algunos robots de seguridad podrían estar equipados con mangueras de agua a presión, gas lacrimógeno o una espuma pegajosa especial para evitar en cuestión de segundos la fuga.

En el futuro, utilizaremos robots en casa como guardas de seguridad y alarmas antiincendios móviles e inteligentes, y tal vez invadan la calle controlando el tráfico o como empleados de un comercio. Sin embargo, cuando los robots adquieran una función pública, habrá quien empiece a preocuparse.

La respuesta a las tres preguntas es incierta. Un robot podría estar programado para operar con seguridad en prácticamente cualquier situación. Si encontrara algo que no comprendiera, el robot en la calle erraría por defecto, es decir, con cautela; no haría nada perjudicial, y si detectara algún problema en alguno de sus componentes o que alguien intenta desarmarlo o dañarlo, sería capaz de bloquearse. Es más probable que los problemas surjan en su interrelación con las personas que con sus iguales.

En el espacio......................................

Es indiscutible que la importancia de los robots en el espacio irá en aumento. A decir verdad, ya existen planes para robots de suministro de combustible a satélites y para el mantenimiento en la Estación Espacial Internacional. Cuanto más alejada sea la misión, mayor será la necesidad del uso de máquinas; no requieren suministro de aire, alimentos y agua. Con toda probabilidad, cualquier colonia en la Luna o Marte empezará con el envío de docenas, quizá centenares, de robots para construir los habitáculos antes de la llegada del hombre.

Un millón de robots bajo el microscopio....

Una posibilidad futurista podría ser la construcción de «nanorrobots». ¿Qué son? Bien, imagina la máquina más minúscula posible en la que puedas pensar, y luego sigue encogiéndola y encogiéndola más y más.

Los nanorrobots son robots tan pequeños que se miden en «nanómetros», billonésimas de metro, o lo que es lo mismo, más o menos la longitud de diez átomos. Los investigadores ya han construido algunos de estos sencillísimos mecanismos. Si se demostrara la posibilidad de utilizarlos y de construirlos en grandes cantidades, la vida ya no sería la misma. Podrían combatir enfermedades, limpiar la dentadura y los vasos sanguíneos, eliminar la polución e incluso reparar agujeros en la capa de ozono.

Aun así, mucho antes de su llegada, los robots inteligentes y versátiles serán habituales en el hogar y en el trabajo. Sin duda alguna te habrás hecho una idea de lo que significa todo cuanto has aprendido y quién sabe, quizá llegues a ser el orgulloso propietario de uno o dos robots, o incluso de una familia entera.